STORÏAU HANES CYM

O. M. EDWARDS

A'R W

JOHN EVANS

Trosiad gan Hedd a Non ap Emlyn

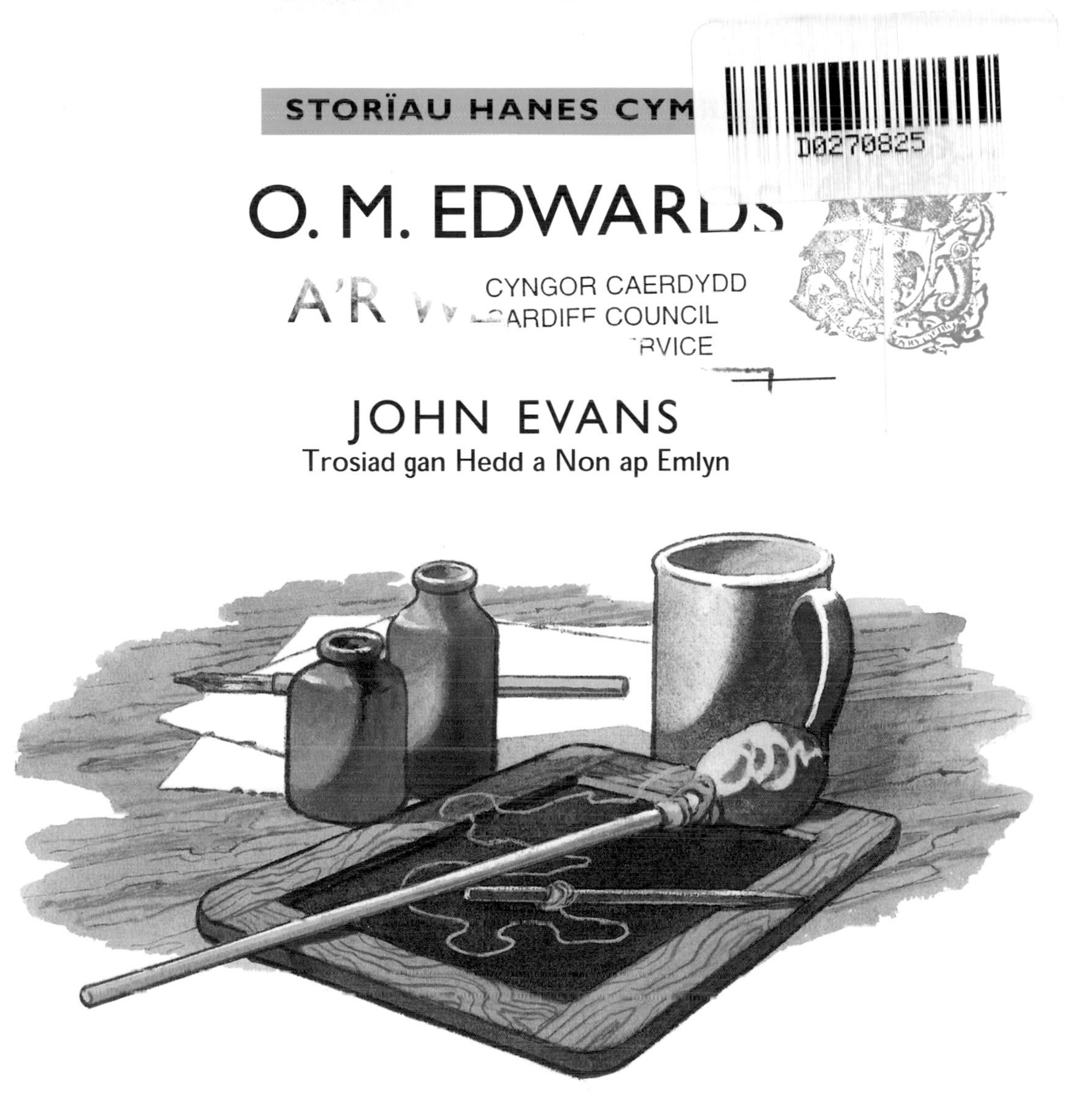

Lluniau gan Malcolm Stokes

Roedd Owen Edwards yn byw ar fferm yng Nghymru bron i gan mlynedd a hanner yn ôl, cyn i neb sy'n byw nawr gael ei eni. Pan oedd Owen yn chwech oed, rhoddodd ei dad waith iddo. Ei waith oedd dychryn yr adar yn y caeau.

Roedd ei dad wedi gwneud ratl arbennig iddo i wneud twrw, fel y byddai'r adar yn hedfan i ffwrdd. Byddai Owen yn gweiddi "Ewch i ffwrdd!" hefyd i ddychryn yr adar.

Roedd holl ffrindiau Owen yn siarad Cymraeg. Doedd neb yn gallu siarad Saesneg yn dda iawn. Yn Gymraeg y byddai Owen a'i ffrindiau'n chwarae.

Cymraeg y byddai Owen a'i deulu'n siarad wrth y bwrdd bwyd.

Yn Gymraeg y byddai Owen yn canu emynau ac yn gweddïo yn y capel ar ddydd Sul. Ond pan aeth Owen i'r ysgol, roedd yn rhaid iddo siarad Saesneg.

Doedd Owen ddim yn hoffi'r ysgol. Dywedodd yr athrawes, "I do not want to hear anyone speaking in Welsh, or you will be punished!"

Ceisiodd Owen siarad Saesneg, ond roedd yn anodd. Roedd yn anodd i'w ffrindiau hefyd, yn enwedig pan oedden nhw'n chwarae ar fuarth yr ysgol.

Roedd yr athrawes yn gwrando'n ofalus rhag ofn y byddai'n clywed rhywun yn siarad Cymraeg. Clywodd Gwilym yn siarad Cymraeg.

Cydiodd ynddo wrth ei goler a gwaeddodd yn uchel arno, “You will now wear the Welsh Not around your neck. Listen until you hear someone else speak Welsh. Then pass the Welsh Not to him.”

Galwodd Owen ar ei ffrind yn Gymraeg. Rhoddodd Gwilym y *Welsh Not* iddo a gwisgodd e drwy'r dydd. Clywodd Owen lawer o blant yn siarad Cymraeg, ond doedd e ddim am roi'r *Welsh Not* iddyn nhw.

Ar ddiwedd y dydd, safodd Owen wrth ddesg yr athrawes. Dywedodd yr athrawes wrtho, "Hold out your hand, you naughty boy!" Daliodd Owen ei law yn ufudd. Yna, trawodd yr athrawes ei law chwe gwaith â'r gansen. Crïodd Owen yr holl ffordd adref.

Pan dyfodd Owen yn ddyn, daeth yn arolygydd ysgolion. Arolygodd holl ysgolion Cymru i wneud yn siwr fod yr athrawon yn gwneud eu gwaith yn iawn. Doedd e ddim yn hoffi'r *Welsh Not.* Gwnaeth i'r athrawon beidio â'i ddefnyddio. Dywedodd ei bod hi'n bwysig bod plant yn dysgu Saesneg, ond ei bod hi yr un mor bwysig eu bod nhw'n siarad Cymraeg.

MYNEGAI

 Cyhoeddwyd 2003 gan Wasg y Dref Wen, 28 Ffordd yr Eglwys, Yr Eglwys Newydd, Caerdydd CF14 2EA. Ffôn 029 20617860. Argraffwyd yng Ngwlad Thai.

Dyluniad clawr gan Elgan Davies. Llun clawr cefn: *Welsh Not* © Amgueddfeydd ac Orielau Cenedlaethol Cymru